劉福春・李怡 主編

民國文學珍稀文獻集成

第二輯

新詩舊集影印叢編　第85冊

【陳贇卷】

回憶

蓓蕾學社出版

陳贇　著

北行

蓓蕾學社出版

陳贇 著

花木蘭文化事業有限公司

國家圖書館出版品預行編目資料

回憶／北行／陳贇　著 — 初版 — 新北市：花木蘭文化事業有限公司，2017〔民 106〕

130 面／128 面；19×26 公分

（民國文學珍稀文獻集成・第二輯・新詩舊集影印叢編　第 85 冊）

ISBN 978-986-485-151-5（套書精裝）

831.8　　106013764

ISBN-978-986-485-151-5

9789864851515

民國文學珍稀文獻集成・第二輯・新詩舊集影印叢編（51-85 冊）

第 85 冊

回憶
北行

著　者　陳贇
主　編　劉福春、李怡
企　劃　首都師範大學中國詩歌研究中心
　　　　北京師範大學民國歷史文化與文學研究中心
　　　　（臺灣）政治大學民國歷史文化與文學研究中心
總編輯　杜潔祥
副總編輯　楊嘉樂
編　輯　許郁翎、王筑　美術編輯　陳逸婷
出　版　花木蘭文化事業有限公司
社　長　高小娟
聯絡地址　235 新北市中和區中安街七二號十三樓
　　　　電話：02-2923-1455／傳眞：02-2923-1452
網　址　http://www.huamulan.tw　信箱　hml 810518@gmail.com
印　刷　普羅文化出版廣告事業
初　版　2017 年 9 月
定　價　第二輯 51-85 冊（精裝）新台幣 88,000 元

回憶

陳贊 著

陳贊，生平不詳。

蓓蕾學社出版。影印所用底本未見出版時間，
集中之詩大多作於一九二五年。原書三十二開。

頑園第一種

回憶

陳贊著

頑園第一種目錄

回憶集

頑園第一種

2

回憶

頌圖第一種

4

回憶

頑園第一種

6

頑園第一種

回憶

嗚嗚的機鳴，
轆轆的輪轉，
流星似的
　把我送到沉悶煩惱的地方去。
鐵寒的布衾，
冰冷的枕簟，
院落中的白鴿
　呱咕咕的叫着；
形單影隻，

頳圍第一種

一聲聲引起我的回憶。

※　※　※

在月明如畫，
花徑蟲鳴，
繡簾風細，
燈紅酒綠的那一夜，
爲我數指紋的是誰？
爲我啓朱研的是誰？
『珠香玉笑』，
是不是你點着頭聽我說的？
客中留住腦海中的印象，
這回算是破題兒第一遭呵！

2

回憶

＊　＊　＊

「來是春初，
去是春將老」，
臥波的長橋，
垂楊的古道，
曲曲彎彎，
彷彿傍着柔腸走；
那一種重訂佳期的蜜語溫言，
今日猶是深深的鉗住我的心坎：
似這般瀟灑的書齋，
怎的不引起我的回憶？

（十四，二，五上海）

頌圖第一種

有感

世界，是一望無際的汪洋；
生命，是一葉沒有槳楫的扁舟：
駕着一葉聽其所止的扁舟，
向着驚濤怒浪的大海漂泊，
颶風在摧殘你；
暗礁在守候你；
環境如何？
前途怎麼？
自顧總是覺得可危！
遠遠的雖有一點條紅條綠的報險燈，

4

在指示來舟不可輕進，
爭奈沒有槳楫，
倩誰來代牠轉折？
唉！
有了這一盞紅燈，
越發使靈魂起了熱烈的恐怖！
（十四，五，十六）

頑園第一種

愛

一輪猩紅的太陽，
垂着頭，緊掛着靠西的疏林；
小鳥們正鼓着翼
唱牠們很愉快的歸巢歌；
天際一幅無垠的彩霞，
燦爛似錦；
幾柄半舒帶卷的嫩綠蕉葉，
正對着東西的紗窗搖盪着，
天空的霞影
和牠在作蝶穿花的舞：

6

不作一語的苜蓿花
　頭低低的沉默着；
一對年青的戀人
　正在這錦繡似的花園
　　喁喁作甜蜜的情話。

※　※　※

鶯兒歌着；
燕兒舞着；
蕉葉拂着晚風；
錦霞似帶薄醉；
滿園中充滿着愉快的空氣。
人兒正在怒放心花，

頌圍第一種

來領略這些天國般的風味。

※ ※ ※

斜陽一步步的向着山頭走去；
鶯兒燕兒
一對對的同去尋牠們的香夢；
錦霞緩緩的收捲着；
綠蕉還在葉對葉的舞：
草地上一陣柔和的清風，
湊着送他們一對攜着手的青年戀人，
送他們到甜蜜的地方去；
一向寂寥的苜蓿花，
這時亦不禁並蒂雙雙的

8

向着他們點頭微笑。

＊　＊　＊

呵呵！
雙飛雙宿，
並蒂連枝，
一歲的春光，
人生的青年，
歡樂，溫柔，甜蜜……
原來都是赤緊的
纏繞着這個『愛』。

（十四，五，十四上海）

頌園第一種

落花

一陣落花，
吹到他的衣襟上，
把他單弱的心兒打碎；
他不禁垂着淚，問一聲：
「噯，落花呵！
你是來做我這顆殘碎的心兒的安慰者呵？
還是來尋你這個傷心的伴侶？」

10

竹

一陣罡風纔過，
接着便是一場急雨；
這時沉寂的小院中，
除了紙窗上怒號的風聲，
和簷前淅冷冷的雨聲，
眞個是『萬籟俱寂』。

＊　＊　＊

一霎時，風聲定了；
雨亦霽了；
紅日初出浴似的

種一第圖頑

露出很愉快的面龐來了；
枝頭小鳥
三兩兩的跳舞而帶着歌唱，
——似讚美着大自然的美麗；
可憐籬邊幾根疏竹，
仍是帶着傷痕地東倒西歪！

* * *

由輕風遠遠的送來一陣笑聲，
——掃花徑的小鬟們來了。
她看見這滿面紅光的太陽，
深深的作了一個揖，
——似讚賞牠的光華；

12

她看見天機活潑的小鳥們的跳舞，歌唱，
　又微微的向着牠笑，
　　——似歆羨牠不受物障的怡然自得；
但是她看見了這憔悴可憐的修竹，
　卻一味的侮弄和誚笑！

＊　＊　＊

可憐的修竹，
可怕的風雨，
咦！
莫說此君無硬節，
似這般的環境，
怎由得特立不低頭？

頌園第一種

鐘聲

誰把安琪兒的靈魂偷去？

誰把我送到這裏？……

曉風殘月，

仔細聽，卻是隣寺的鐘聲。

「噹……噹……噹……」

原來你不是一個醒迷的警鐘，

卻是一個美滿的掠奪者啊！

14

潭畔

綠柳半堤，
澄潭一勺；
柳絲柔長，
潭水寒澈；
倩柳絲繫住年華，
要潭水來照我的心迹。

（十四，暮春黃浦）

試劍石(註)

不揀去補天，
卻在這沉寂枯燥的山邱下；
如不是以『剛不可犯』自矜呵，
何至吃這吳王劍？

(十四，四，十九蘇州)

註：試劍石在蘇州虎邱下，形圓而中分，俗謂爲吳王試劍處。

望韓王墓（註一）

春山翠，
暮烟低，
雲捲桃瓣舞，
風靜柳絲垂；
日落山高早，
影沒塔危遲。
韓王墓，
草萋萋，
斜暉猶是高峯掛，
鵑聲昔聞楓林啼！

頑園第一種

遙望太湖水光漾，
低首忽驚風波（註二）時！
君不見，
西子琴臺（註三）今何在？
千秋猶瞻屹然碑！

註一：韓蘄王諱世忠，墓在蘇州靈巖山下。
註二：秦檜既害岳武穆於風波亭，韓王閉門不問國事。
註三：西子琴臺在靈巖山之絕頂，上鐫『吳郡勝跡』四字，今臺已廢，祇留柱穴而已。

18

春色

杏花上的鶯啄，
綠波上的燕剪，
眼角上的淚痕，
悲哀，憔悴，
這都是青春的景色！

影

薔薇花在曲檻上開着，
粉蝶兒在碧空中舞着，
他一步步的踄近前去，
明鏡似的池中的三個影兒，
——花，人，蝶，卻溶成一片。

春意

金黃的鶯兒，
粉彩的蝶兒，
一雙雙，
一對對，
翩翩的翻過粉牆去；
飄渺無定的心兒
亦趕着同牠
輕輕的翻過粉牆去了。

穎園第一種

伊們倆

她愛他，
她亦恨他；
她有時含着一泡眼淚的靦然一笑，
有時在歡笑的時候
潸然滴下了幾點熱淚來；
愛，恨，哭，笑，所給合的場所，
便是他一生的靈魂的墳墓。

寄翔鳳

我時常佩着你所贈給我的小玉環，
因爲我見環如見你；
但是我要把什麼來贈你呢？
祇有這一顆朱紅的心
夢中倩靈魂送到你的枕邊去。

（十四，五，十九上海）

風雨之夜

淒風，一片片的
　堆成一座愁城：
微雨，一絲絲的
　擲破了美滿的宇宙：
半明不滅的一點紅燈，
　從愁城中透出破碎的宇宙來，
一點點閃爍的微光，
便是我的心靈的表現。

西園

從八角玲瓏的小池亭裏，
步出迂迴曲折的長橋；
池中天機活潑的魚鼉，
成羣結伴的弄着落英，
度牠們浪漫的生活；
我要低下頭去問牠：
「我的影兒如何？」
牠卻翹起首來問我：
「牠的前生怎樣？」

（十四，四，十九蘇州）

頑圖第一種

人生

心絃的騰躍，
是行軍用的步鼓；
自從聽到「開步走」的動員令後，
便一步步的向着義塚去了。

26

飛來峯

問從何處來？
道從來處來；
問從何處去？
道從去處去；
既是可以飛來，
當是可以歸去；
君試一睜慧眼吧！
爲甚還在留戀着？

（十三，清明前一日於西湖靈隱）

頑圖第一種

遊孤山放鶴亭

孤山梅樹曉露殘，
草嫩春風寒，
放鶴亭邊苔徑斑，
湖光山色入畫欄；
梅嬝嬝，
鶴昂昂，
羡妻嬌子憨：
斗酒雙柑，
且聽黃鸝去，
莫問他世變滄桑；

28

輕風拂拂，
暮雲蒼蒼，
林石清高空仰止，
狂歌歸來月滿潭。

（十三，淸明日杭州）

送客

春水漲，
落英漂，
白馬嘶風關山遙；
送君千里須一別、
何須投策過板橋？

蝴蝶

雕欄上彩盆裏藍黃相間的蝴蝶花，
　無聊似的仰着臉朝着朝曦；
彩翅翩翩的粉碟兒，
　誤認是牠的同伴；
輕輕的鼓着翼，
　替她拂去了稀薄的浮埃；
乘着輕風，
　彎着栩栩的玉腰兒對她舞：
　低着胭痕宛在的頭兒向她吻；
盆裏的蝴蝶花

卻很冷淡的因風點一點頭。

蝴蝶兒呵！

你可認錯了同伴了，

你的伴侶還在後面哩。

有懷

晨暉從細綠的疏林透進來，
清光滿注着嫩紅的玫瑰花，
反映在紫藤花下的她的面上，
她微微的一笑。
她皙白而帶着嫩紅的粉靨，
和兩排瑩潔而整齊的玉粳，
襯着秋水似的雙眸，
又加映上一些玫瑰的豔色，
這是多麼的美麗？
多麼的可愛？

愛人！

我的愛人！

你能夠許我投入你的懷裏麼？

愛慕

母親！
我這一顆心，
願把來做你的耳墜兒，
時常親近你這慈和的顏色；
並且冰冷而枯槁的牠，
還要你這溫厚的臉兒來呵護呵！

小詩

腦汁，是清白的；
心血，是紅熱的；
清白的腦汁，
　把來灌溉初萌芽的美滿的花；
紅熱的心血，
　把來洗濯這汚濁的宇宙。

閱報章舉頭忽見南飛燕

故鄉戰亂，頻年未息，邇日以來，時局益紛；廬舍爲墟，蒼生糜爛！杜宇聲中，昔縈客子思家之夢；況見燕子南飛，又值報傳兵燹之時耶？惆悵之中，賦此以寄。

君今比翼向南飛，
記探問鎗聲多少？
若有空閑過我家，
代遊子道一聲好！

（五，一四上海）

頑圍第一種

澗邊

落英隨着流水去了，
把善果交代給綠葉；
不做美的白了翁，
叫一聲，啄一下
咕咚的一聲响，
善果掉在水中了！

＊　＊　＊

善果在水中掙扎着。
在牠旁邊的少年道：
「善果你別忙，

收拾着趕上落英去罷；
我把這半日的相思，
亦整個的交給你帶去。」

籬笆下的黃花

籬笆下的黃花，
　藏藏閃閃的，
　　躲在滑膩玲瓏的石罅；
我碰見牠好幾次了，
牠總是這個樣。
　想要向牠問訊，
又恐怕未免孟浪；
一天天碰見牠，
總是隱忍着。

❊　❊　❊

這一次我可忍不住了，
我很果決的向牠動問了。
『黃花！
你爲甚這樣藏藏閃閃？
難道是羞居人家籬下麼？
你是怕見生客麼？
是爲着避免浪蝶游蜂的勾引麼？
是爲着避免人們的誚笑麼？
爲什麼不同他們生長在錦繡的園林，
却這樣離羣而獨處呢？

※　※　※

風伯吹着喇叭，

頑圖第一種

黑雲瀰天的湧來了，
破塊的大雨接着便到；
在這天愁地慘的世界中，
籬笆下的黃花，
仍是沉默的不作一語。

42

半淞園初夏

半羞怯的玫瑰花，
當人前受着烈日的凌迫，
急的滿面通紅；
慧頡的綠草，
很鎮靜的伏在石隙；
翺翔自由的小雀，
飛影印在清波，
嚇沉露額窺人的金魚；
游蕩的小舟，
驚沉水邊的花片；

頑圖第一種

衣着輕紗的碧空，
半掩藏在山林背後；
臨溪小亭，
斜倚着一位垂釣的女郎；
左右流盼，
造成一幅天然的圖畫。
竹林中間，
閃出攜着照相機的遊八，
把機鏡對着我們照來；
幾個天然圖畫的賞鑑家，
竟上了天然賞鑑家的圖畫了。

（四，二八上海）

東風

燕子呢南報春來，
苔徑蟲鳴知君到；
方攜春光來，
又逐柳烟去；
千叮嚀，
君須記：
明朝登程時，
休使春知道。

鮀江憶故

這不依然第一公園麼？
墨綠綠的相思柳，
　却無恙的蒼蒼鬱鬱，
那一叢嫩黃的麗春呢？

膽瓶中的玫瑰花

膽瓶中的玫瑰花，
她憔悴的臉兒、
雖不蔽掉她的鮮艷，
但是，她的一顆心，
已飛去陪着她失寵的母親灑淚了！

頑圖第一種

忽雨

冷靜的天，
　睜着牠火盤般的眼睛，
　　在看察世界上的一切。
牠看察了好幾萬萬年了；
牠看見一切的衆生，
　都是蒙着頭，
　　向着死裏跑，
牠的慈祥的眼睛，
　再不忍往下看了，
牠把黑壓壓的手巾揩着眼，

48

撲撲漱漱的
流下幾點慈悲的眼淚來。

黃浦江邊

親熱熱吻在石頭上的夕陽，
映着浩蕩蕩的江流，
我凝着瑩瑩的業眼，
遠送那搖搖的小舟；
我情思悠悠，
想倩滾滾的江流，
載我心頭萬斛愁，
追上南行的小舟。

（五，十五）

50

送友人往西湖

——感雷峯塔作——

往年我去時，
老衲（註）臨湖坐；
今年君去時，
殘磚施蔦蘿！
今有殘磚與蔦蘿，
登臨猶則可；
他年磚沒野草埋，
君又將奈何？
君如多情為灑淚，

頑閭第一種

我寄君幾點，
君灑淚時莫嫌多！

註：明聞子將題雷峯，保叔二塔云：『雷峯如老衲，保叔似美人○』

弔雷峯塔 有引

民國十三年秋，西子湖邊之雷峯塔，忽白書崩圮；書報紛傳，聞之不勝惋惜！猶憶往歲往杭時，每登臨卽低徊不忍去；今相隔纔數月耳，而湖光依舊，景色已非，回首前塵，不勝今昔之慨！春雨潺潺，書窗瀟灑，客舍無聊中，爰爲詩以弔之。

去年登臨未賦詩，
今年詩成君已死！
君雖死，
名猶存，

頑園第一種

夕陽西下試把酒，
還對南屏一奠君；
君不見，
湖邊草？
春深猶帶舊啼痕！

（十四，四，一三黃浦）

54

校旁的僧院

我們學校的旁邊，
有一座小小的僧院；
僧伴雖祇五六人，
卻終日佛號喧天；
他們的鐘聲
和着我們的鐘聲，
齊齊同敲响。
我笑他們癡，
他笑我們忙，
究竟誰忙與誰癡？

頑園第一種

問花花不言，
問鳥鳥不語；
雲自流，
水自逝，
我照我的路行，
你趕你的路去。

56

靜極

螞蟻在粉壁上行，
塵砂在地面上滾，
很輕很微的聲音，
都送進我的耳朵來，
這是何等的寂闃呵。

池邊

有一天：
我和她同在花園裏散步，
籬笆外栩栩的
翻進一雙蝴蝶來；
她躡手躡足的
張開扇子迎上前去，
我便凭在池邊的鐵欄，
待魚兒起來說話。

※ ※ ※

乖覺的金魚，

似乎是看看見她撲蝶去了，
恐怕我也來捉牠，
便大家商議定似的
一齊都不肯上來。

＊　　＊　　＊

可愛的金魚，
牠們雖不敢靠近前來，
但是，牠在裏面，
却輕輕的偸吻着我的影；
我很愉快的微微報牠一笑。

＊　　＊　　＊

『蝴蝶牠別家去了；

不但撲個空，
卻累得一身汗！
這半天你在做什麼？
在想做詩麼？」
她悄悄的向我肩上一打。
她說的話我卻聽得一半；
但是，我的詩思，
卻被她這一打嚇跑了。

岸上

岸上的人們呀！
你們便是要到天河去，
亦須當從這裏泛起；
來吧！來吧！
岸上的人們呀！
快些趁上我的船來吧。

夜月

月姊姊穿進玻璨窗來，
走向壁間去窺鏡，
她的麗影和牀上的我，
不差分毫的正打個照面，
這時的天氣，
已快到夜半了，
我總是眷戀着她，
和睡魔打了好幾回仗。
我對她端詳了好一會；
我把她當客旅中的伴侶；

這時我不感得寂寞了；
我想起來點個亮，
　要做兩句詩去謝謝她；
但是、滿腔心事
　卻不知從何說起；
只得擱下筆
　仍舊的吹燈相對。

（五，二八夜）

頑園第一種

詩魂的歌唱

『仄仄平平仄，
平平仄仄平；』
『一三五不論，
二四六分明；』
我爲着怕牠的拘䌖，
反受了二十年的徒刑！
我現在已是脫了樊籠的青鳥呵
再不管牠什麼——
『一東二冬』『七陽八庚。』

＊　＊　＊

64

我的生命，
已在大自然的波紋中盪漾着了；
大自然呀，
我請求你！
我深深的請求你！
請你多吐一些Arts的空氣，
讓我這初出樊籠的生命來呼吸吧！

步月

踏遍碧澄澄滿街的月色；
撫遍搖曳曳拂牆的花陰；
側着耳，
　聽遠遠林裏的杜鵑，
一聲聲勾起了覊人的離緒。

＊　＊　＊

月色越發明亮，
花陰益形深濃，
萬籟俱寂，
除了林裏的鵑啼，

祇聞得「夜長人不寐」的歎息！

讀桃花扇終

長江滾滾的奔流；
白雲卷卷的飛逝；
鎮日價：
　開眼送着行雲，
　閉眼聽着流水，
卻不知：
　流水去而不來，
　白雲不離個聚散！
李香君道：
「弟子亦曉得了！」

這輕輕的一個『曉』字，
千古來多少人能參得透？
唉！
這是多麼的傷心呵！

犧牲

一陣腳步奔走的聲音，
驚動了歧路徬徨的我；
慌張而錯亂的行人，
一個個的面上
都蒙着一層淡黃的金紙。
「走呀！……走呀！……
不得了，
這是上海第一次的創舉了。」
他們一頭走一頭說着。

＊　＊　＊

「吱……吱……吱……」
警笛一聲聲的吹着。
「嘣……嘣……嘣……」
爆竹似的，一聲聲響亮着。
「我們不要跑，
湊進前去罷！
雖死了十個人，
我們還有一千多！
我們雖整數死完，
還有全國的同胞哩！」

※ ※ ※

「嘣……嘣……嘣……」

頑固第一種

爆竹似的，一聲聲的響。
「呼……呼……呼……」
　摩托卡輛輛的駛來，
　　又一輛輛的駛去了。

* * *

馬路上的行人絕迹了；
「湊近前去」的聲音沒有了；
爆竹似的聲音安靜了；
呼呼的聲音也去遠了；
「我們至死不退」的悲聲，
　卻隨着摩托卡的呼聲
一步遠一步去了！

＊　＊　＊

粉壁上新灑的點點桃花斑，
　反映着地面上
　　黏溼的一片紅氍毹；
幾個不會動彈的人兒，
　縱橫交錯的
　　仰躺在這張紅氍毹的上面；
手裏般紅的傳單，
　仍是一片片
　　牢牢的緊握着。

（五，三〇）

南京路慘殺案之第三日

從前沒有見到的，
今天都見到了——
黃浦灘的西馬隊，
南京路的鐵甲車；
石路口的機關鎗；
商店門口朱紅的門扇；
——最難得是新世界的。
馬隊呀，
甲車呀，
機關鎗呀，

紅門扇呀，
從前沒有見到的，
今天都見到了。

＊　＊　＊

馬隊行到橫街頭，
人們匆匆的走避；
馬隊走過了，
人們仍舊的攏上；
馬來人避，
人前馬後；
馬過人來，
馬前人後。

頑圍第一種

朱扉深深的掩着，
門口站幾個閒人；
得得答答的馬聲，
滴滴鈴鈴的車聲，
偌大的一條馬路，
除了行人
沒有別的甚麽；
洋捕不到的地方，
有人還說：
「狠像元旦的光景」哩！

76

華德路了，
喊吶聲圍住了電車，
——我們在勸中國人步行着；
背着鎗的『洋大人，』
把喊聲衝分四散。
遠遠的人聲
又騰沸起來；
——原來南京路上，
又死了好幾個學生。

（六，一）

穎園第一種

寄恨

此恨誰知？
倩東風吹去，
又繫住白楊枝頭，
看蝶狂蜂浪；
想向湖裏深沉，
又怕對鴛鴦雙宿；
要向繡閣偎朱扉，
驚的是鸚哥饒舌；
白雲深處鶴咻咻，
喚新月暫把牠勾起。

78

晚村新月

之字曲的小澗邊，
半繞着蒼蒼鬱鬱的小榕樹；
嫩碧的波光，
滿載着墨綠的榕蔭；
大理石般的天空，
鉗着一輪銀色的新月，
影兒深深印在碧鏡上；
輕風吹水成漪，
月影在清波中嬝嬝的盪漾；
草地裏的蟲簧，

頑園第一種

麥田中的蛙鼓，
緩緩呼，
輕輕應，
一聲聲讚美着。
我悄悄的踱近澗邊，
銀色的影兒，
又姍姍的閃到榕陰深處去了。

80

竹影

竹影射進車窗，
　印在一位小姑娘的龐兒上；
我愛竹兒的影，
但是，我怕小姑娘的臉兒；
要看罷？
沒有這種膽量；
颶下罷？
委實又割捨不得；
我躊躇着，
我終於低下頭去躊躇着。

襀圖第一種

（六，九陸家濱）

82

傍晚

白雲籠罩了遠山，
彩霞染紅了綠水，
疏林隱隱約約的畫在白雲上；
歸鴉條有條無的點在紅霞裏；
牧童的笛聲，
　吹翻畫裏的落葉；
漁舟的欸乃，
　驚亂霞裏的歸鴉；
滿宇宙的黃金色，
　圍繞着自然的搖籃；

瀕圖第一種

人們一切，
都在自然的搖籃中擺盪着。

（六，九滬甯車中）

84

暮

高僅及肩的小茅屋，
影兒平舖在深黃的麥田上；
泥金的華箋，
寫上萬丈的高樓；
樓兒越寫越高，
自然告訴我們：
「將以夜色相饋了。」

（崑山）

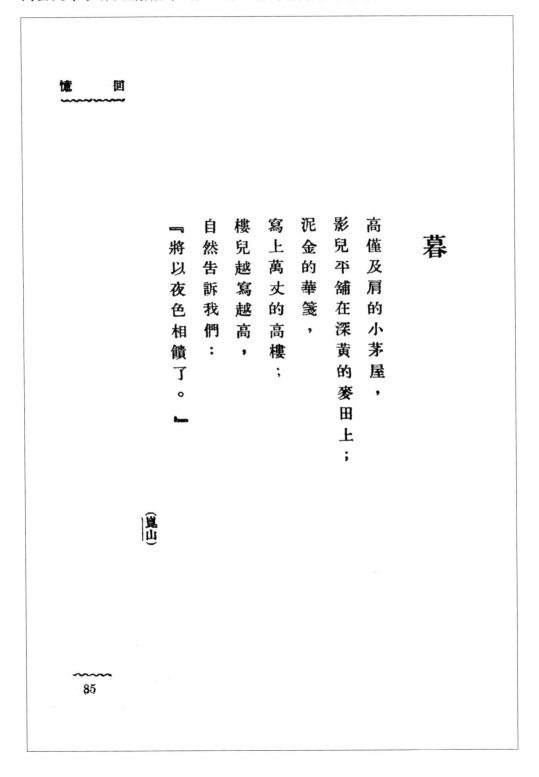

三遊姑蘇

我認得柳兒，
楊媽亦還認得我；
我罍她比前尤青，
她說我近來瘦點。

（六，九）

一笑

一笑，
輕輕的一笑，
我眞受不得這一笑！
是青椒麽？
是梅子麽？
怎的這樣難受？
我受不得，
我眞受不得這輕輕的一笑呵！

梁溪舟次

老頭兒在前撐着竿，
老婆子在後搖着櫓，
慢慢搖，
輕輕擺
穿進蛾眉般的橋下；
連水中的影兒看；
我們白天裏跨到月殿了。

（六，一一無錫）

五里湖

一望無際的蘆荻洲，
讓出三彎四曲的一條小河；
走完了河路，
迎面閃出五里的湖光；
我領略了湖光，
又欣賞着小鳥們的歌唱。

頑圖第一種

黿頭渚

輕波吻着石頭，
魚兒攔住水草，
林鳥吱吱啁啁，
　唱山歌陪牠們玩笑；
涵虛亭一刻清風，
占領了湖山一切。

（太湖）

萬頭堂前洗澡

登惠山山花已殘；
遊梅園青梅如豆；
幾番登臨，
　總是空空兒妙手；
那知俗慮萬千，
竟在黿渚磯頭滌盡？

頌園第一種

公園的薄暮

池塘裏的綠荷錢，
因風弄水成珠；
夕陽反映池壁，
閃爍作白金色；
小石橋的卍字檻邊，
斜倚着一位頭髮如霜的老者，
和一位天眞浪漫的小孩；
老態龍鍾，
天機活潑，
這時公園當中，

我覺得祗有他們兩個。

（六，一〇無錫）

觀音石

觀音石上，
　長出一朵不知名的黃花；
菩薩愛梳粧，
眞怪不得這園裏的空氣呵！

（六，一二無錫公園）

下車

下車即見一帶青山，
點綴着層層的屋宇；
循着小石徑上登；
前面獨輪的小車，
軋吱吱的響着；
後面一排軍隊的喇叭，
咿嗚嗚的吹着；
我無心去眺瞰京畿嶺，
卻從這兩種聲音裏
去忖度鎮江的生活。

頌圖第一種

（六，一二鎮江）

96

遊金山寺

塘傍曲徑，
花香捲來殘碎的鐘聲；
山烟瀰漫，
茂林掖着七級的浮屠；
「好雄壯的寶寺呵！」
我在車兒上這樣的讚嘆。

＊　＊　＊

小和尙念念經；
大和尙擂擂鼓；
我們登了剛纔聽見的鐘樓；

續圖第一幅

我們登了剛纔望見的寶塔；
長江一線，
風帆如鷗，
浮雲吻着炊烟，
濛瀧罩住了大千世界；
殿角幾點鐘聲，
清明的波紋
又衝破迷惘的網羅了。

98

白龍洞

深幽漆黑的白龍洞，
微細的燈光，
衝不透前途的迷惘；
努力呀！
抗進呀！
仗這一點光明，
來打破這迷惘的世界呵！

類圖第一種

甘露寺

偌大的甘露寺，
我祇看中了這一個沒有名字的小亭；
我不羨江上的清風，
我不羨山巔的鳥語，
我愛的是：
　幾枚屹立如屏的巖石，
和躲牠旁邊的金絲海棠，
石呀，
花呀，
我愛牠一個恬默無言，

一個平淡無臭。

（六，一三鎭江）

立馬坡

立馬坡上立馬，
遙望錦纜凌波來；
英雄何在？
萬里河山付飛埃！
憑將往事弔今世，
人生若寄憶悲哉！

長江上

波平如練的揚子江，
船行時還起了拍空的雪浪；
滾滾的愛河，
纖弱的生命，
可危的飄渺的前途呵！

＊　＊　＊

小輪船行駛在長江上，
波濤捲翻了乘風的小舟；
可憐的小舟呵！
你是聽天任命的小舟，

頌圖第一種

可憐你！
可憐你竟受了機械的摧殘了！

（六，一三）

護城河上

涼陰的天氣，
朝暉高臥在層雲裏；
波紋瀲灩的護城河，
　寫不出斷埭殘堞的倒影；
含烟着露的野薔薇，
　怕畫舫邉皺麗影麽？
密密的深藏在綠葉裏；
我們的遊舫過時，
解事的風姨
又輕輕的

揪開她的碧紗帳子了。

（六，一四揚州）

徐園

好清幽的徐園，
掩映在林湖深處；
起伏的詩情，
　不住的在心頭圍繞。
詩情呀！
　你不要忸怩着，
　你很爽利的出來吧！
　這半畝的池塘，
　便是你洗心濯魂的場所呵。

頌圖第一種

靑萍

細流彎過小石橋，
分支成一個『人』字；
乘流而下的靑萍，
在叉口不住的旋轉着。
東麼？
西邪？
我默默地猜着牠的打算。

（六，一五丹陽）

108

到底爲的什麼？

不假驅策的驢兒，
轉彎抹角的走向虎邱；
不能控制的心兒，
飄飄颻颻的飛向虹閣；
天際雲住雲流，
簾外花開花落，
『自然』不負這個責任，
牠們到底爲的什麼？

她竟病倒了

她竟病倒了，
偏在我臨行的這一天，
畢竟是我坑了她！
我既不能使她不陷到這步田地，
又不能留在她左右去安慰她，
三分病愁的她，
又加上五分離恨；
「伯仁由我，」
這是我萬辭不掉的罪過呵！

惜別

玲瓏的寶塔，
一會子小了一些；
一會子模糊起來；
綠楊繞堤，
車兒竟彎彎曲曲的轉進去；
造化的小兒呵！
連這一點點的賞賜，
也不容我多些享受麼？

歸途

連宵不寐，
更堪風雨摧殘！
布楊雨珠潤；
輕聽得：
「温州到，」
猛圍起
　萬丈愁城！
離她日日遠，
歸家途尚賖；
雪浪拍空，

捲起我的離愁歸思。

（一九溫州）

歸途之二

幾番攔阻，
誰承望今遭願遂？
十日勾留空打算，
一低首，
又怨他歸程躭擱。

（二一·廈門）

歸途之三

從飄風疾雨裏，
閃進了忽明忽滅的海燈；
緩進的舟中，
望不清角峯林石；
不一會小帆紛紛，
我們呵，
收將行李去罷。

（汕頭）

歸途之四

蛇島辭別了二叔，
東墩野欣賞着嫩黃的嘉禾；
一會子目送浮隴風帆；
一會子斜窺鷗汀的塔影；
纔離了隆隆的車聲，
便接着親熱的呼喚；
在這一剎那間，
眞寫不盡心頭的感想。

(二二頑圜)

廣東公會裏

——乍相見又傷別離——

白石亭邊，
綠榕影下，
嗚嗚喑喑的笛聲，
和着叮噹噹的琴韻，
清風徐來，
吹換我們剛纔說不盡的心緒。

（三，一，廈門）

沉淪

玉箸雙垂，
平地翻起眼波的雪浪；
露犀微笑，
無端激起臉渦的漩紋；
高潔的心地，
安樂的人生，
光明，
愉快，
一切都深深的沉淪着。

回憶　全一冊

實價大洋叁角

著作者　陳贊

發行者　蓓蕾學社

印刷者　上海　商務印書館

寄售者　各埠　各新書坊

北行

陳贊 著

蓓蕾學社出版。影印所用底本未見出版時間，
詩集《序》作於一九二五年。原書三十二開。

頑園第二種

北行

陳贇著

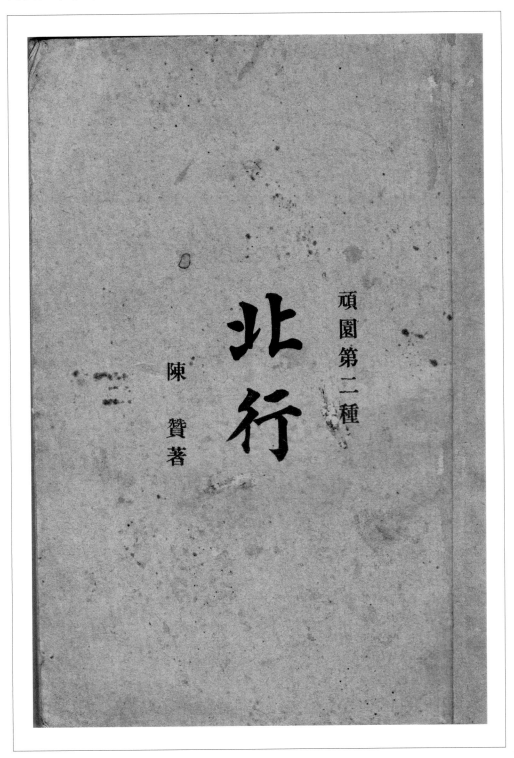

序

北行集是我居京時幾個月中的著作。這寥寥的幾首詩，原想合併在回憶集裏；因爲在這幾個月中，思想實在是變遷得厲害；兼之曰常所接觸的，除了失意的朋友們的眼淚，便是感到冷酷的社會，和虛渺的人生！『凄風苦雨，倍傷客子之心！』遭逢如我，當這異地秋風，怎能不把我的人生覩，整個的送到悲哀之域呢？因爲了思想不同，所以決意把牠另編一集；並把我那流雲片影的思想的月兒，亦附上去。

這一集中的小詩，有的已在京中各刋物發表過的，不過署名却有的是署陳冷，有的是署悲冷。恐怕起了讀者的誤會，故在這裏一並聲明。

一四，一〇，二五於申江客次

北行集目次

燕園第二種

頑園第二種

北行

陰霾四佈的長空，
籠罩着水清如鏡的小澗；
澗的東邊，印着排列成行的屋影
西邊，印着斷斷續續的榕陰；
中間一線光明，
無言中卻印出我的心迹來：
——一邊是，寫着惜別的離愁，
一邊是，寫着風塵的跋跡。

※　※　※

禎圖第二種

前日歸來的嘉禾，
現在已變成一帶的秧針了
「自然」在暗中告訴我：
「把新愁換卻舊恨」哩！

* * *

秧針綠的，
鵝兒白的，
流雲愁的，
水光黯的，
我的心？

（一四，九，一一汕樟車中）

2

北行之二

飆風怒吼，
濁浪拍空，
煙波萬頃濛瀧；
駙馬城外煙霧鎖，
寶塔山頭雨珠濃；
雪浪濺面，
　滌不盡滿臉的愁容；
狂風櫛髮，
　扯不舒緊鎖的眉峯；
拋書無語，

頑圖第二種

這憔悴爲甚？
無計問碧翁。

（一三駢馬城）

4

北行之三

狂風，一味的摧殘着；
疾浪，一味的衝擊着；
陰惡的夜色，
　正張開着黑暗的囹圄，
　　在吞噬宇宙的一切；
人們都沉喪的慴服着；
祗有一線光明的心地，
　不滅的在徘徊着。
呼號麼？
哭泣麼？

頑圖第二種

詛咒麼？

……？

還是准備着天明的奮鬥？

（一四夜福州舟次）

6

北行之四

長堤依舊，
柳色猶青，
江村日晚暮煙凝；
昔也下車遊，
今作過路客，
閨中人如卜金釵，
定暗詈狠心薄倖！

（二〇車上望蘇州）

北行之五

一夜無眠，
　我伴她默默地坐着；
一會子她的新月似的眉兒彎下去了；
　她的秋水似的眼兒低垂着了；
她的玉山緩緩的頹；
她的身子輕輕的嚲；
斜倚着，
緊靠着，
霎時間半身全靠在我的肩背上；
車中人們的視線，

都跟着她身體的顫動旋射。
她很甜蜜的入夢，
我却受了不少舊社會的人們的眼箭傷哩！

（二，一破曉車中）

北行之六

曉風掃盡殘星，
　掀開夜幕；
鋪滿彩霞的山頭，
緩緩的簇擁出光明而柔和的朝陽；
天際白雲，
　璀璨呈黃金色；
啼烏呼妻出林，
小魚結伴逐日；
金碧映輝，
飛潛自得；

在未進石頭城之前，
卻先追忖金陵的今昔！

（南京）

北行之七

眼盈盈，
　捨不得那平波的江水；
心怏怏，
　恨不能鏟平那隱約的遠山；
牠們呵：
　一個是傳達音書的魚兒的樂國，
　一個是障斷望眼的孽冤！

（浦口）

北行之八

赤連千里的麥田，
詩情被牠擋住了；
逸興遄飛的詩情，
還在徘徊不捨的圍繞着。
但是，我的斑管兒，
卻無端的擱下了。

（徐州）

頌圖第二種

北行之九

車停了，
輕風拂着垂楊，
　微微的抹着我的瘦臉。
唉？
鹿鹿奔走，
一無所能，
若不是柳娘揶揄呵！
自問能不羞死？

（一二、天津）

14

北行之十

城畔依依的柳絲，
整日家對着曲水顧影；
但是，在那過去的數十年間，
牠還照不出牠靜時的眞相。

（一三北京）

穎園第二種

客邸秋夜

秋蟲啁唧唧的吟寒，
塞雁一聲聲的嗚咽；
客舍燈青，
萬籟萬寂；
冷風不知人憔悴，
猶自呼月窺疏簾！

（一一五北京）

16

夜色

黑漆漆的夜色，
點綴上閃閃爍爍的繁星；
長空萬里，
絕不見一點輕雲薄霧；
風聲呢？
月影呢？
怕不是走進詩人的懷裏去吧。

頑圖第二種

遠望

梧桐落，
殘蟬鳴，
聲聲凄楚不堪聽！
愁來依舊，
空有疊疊高山幾萬停！

18

月夜

月圓，風細，
蕉靜，蛩鳴，
夜深行不寐，
只爲秋氣清。

頌圖第二種

情思

幾年來死心不提的情思，
今日裏
　忽地狂湧上心頭；
羞愧呀，
悔恨呀，
不住的打破心房的門兒；
牠偏有這多大力量，
又引起我連日牽纏的情緒來了。

思量

思量不見她，
怕的是；
搵濕衣袖；
近來心情變，
恨的是：
衣袖乾鬆！

種二第圍額

晚上

微風推來輕雲，
一縷縷向頭上飛過；
極目盼盡流雲，
總不見伊人消息。

22

蕉葉

早上纔抽出來的芭蕉葉，
這會子已被風打的絲絲亂舞；
台階上刹那淸風，
已閱牠榮枯一度！

頑園第二種

夜雨

天外呼呼的風號，
簷前噹噹的鐵馬，
窗櫺潺潺的雨點，
一聲聲敲開心門，
放出傷離的情緒！

（九，三〇枕上）

北海公園之秋

閒來獨步尋芳草，
那知芳草衣黃衣！
花徑露凝遊人少，
茂林陰翳鴉鵲飛，
長橋臨淺水，
喇嘛塔巍巍；
痴蝶未解秋風意，
翩翻猶自相偎依！

（一四中秋前三日）

稹園第[illegible]種

秋蟲

爲詢秋深淺，
細味秋蟲聲；
嗚咽君未解，
猶傍花徑行！

（瓊島）

秋風

秋風，一天天的涼着；
梧葉，一陣陣的凋着；
唧啁徬徨的雀兒，
你在忙甚麼？

藏圖第二種

秋月

庭階寂寂，
月色溶溶，
瘦影兒，
半照牆角中；
花半眠而無語兮，
蕉已碎而當風；
悲蟲吟於牖下兮，
孤鴻淚於長空！
蹀躞無言，
吁嗟相送；

28

綠深影重，
苔紫露濃；
相思半繞柔腸胃，
傷懷更在月明中；
漏迢遞，
露溟濛，
可憐又聽五更鐘！

頑園第二種

秋夜

四壁清瘦的蟲吟，
連天驚寒的雁語；
花外斷斷續續的淒風，
隣家若有若無的機杼，
錯錯亂亂的響着；
瞧樓上的鐘聲，
叮叮的鳴了兩下。
這時柳陰中茅舍裏的我，
正在輾轉的不寐着，
聽了這些添人愁緒的音調，

30

越發使心絃起了熱烈的響動。
想想要燃燭繼讀麼？
精神上實在沒有這般能力！
要屏除一切安安穩穩的睏麼？
心瓶裏的熱血又正在跳得厲害！
我實在不能睡，
我實在再沒有催眠的法子了。
來呵！
安慰我的人兒來呵！
月姊姊憑着那似圓而方的紙窗隙，
正露着一半温柔豔膩的臉膛窺探着。

（憶客歲宿江灣作）

夜雨

風淒淒，
雨淒淒，
夜闌人靜時。
相思淚，
窗外雨，
點點滴滴；
欲把心事訴與誰？
憂愁只自知！

（九，三〇）

中秋

盡道中秋月倍明，
今夜雲濃照不清；
瓊島小亭，
勞人空久等！
畢竟嫦娥解事，
怕勾動遊子心情，
團圞欲待夜闌三更。

（北京）

課罷

林疏斜陽影碎，
露冷綠草衣黃，
寒蟬枝上訴流光，
課罷書抛人倦。
橫塘步懶，
多管是，影瘦不堪看！

長夜

金飆吼，
玉壺潛，
人已靜，
夜未央；
短檠未挑悲淚鶴，
擁衾不寐吊啼猿！
窗破更煩蕉破，
被冷還倩誰添？
斷雁天外聲聲遠，

頑圖第二種

吁嗟戲，夢不穩兮夜漏長！

一〇，九夜半

36

秋意

郭外柏葱葱，
雲山萬重，
翠竹輕敲淡蕩風；
北雁南鴻，
促織聲悲縈客夢！
憧憧，
蝶也意慵人意慵。

頑園第二輯

秋思

愁荷欵欵殘露啼，
花外笛聲凄，
風如剪兮漏遲遲，
疎雨苦人意！
家鄉萬里，
縱無千丈游絲，
端的亦把人的愁思繫！
羅袂涼透肌，
啓行篋，

嗟送煖阿誰？
漫道男兒淚，
等閑莫輕滴；
似這般萬象淒其，
淚不垂兮亦長垂！

秋爽

山外的青山，
　雖半遮却一半露着；
臨水依稀的村舍，
　炊烟每氳成一片；
林外藏藏閃閃的紅霞，
　不住的從籬隙窺探；
園裏苔封的石磴，
　新綴上幾點枯葉；
在斜陽躺到西山懷裏的時候，
　拂拂的一陣涼風，

無言中却偷了我的愁緒去．

晚秋郊行

瓦斷磚殘的古廓，
　掩映着疏林中一角的紅樓；
萬壑松聲，
　鎖住碧空中的哀鴻淚雁；
曲水涓涓，
白雲縷縷，
伐木丁丁的餘音，
　震得我的心絃顫動，
　　彈出遊子的思歸調。

「萬里關山萬里愁！」
林外悲歌的聲浪，
和我思歸的情瀾，
不覺却起了同樣的起伏。

一四重陽前一日

問秋

春華秋殺
榮枯若輪迴，
寒冬盡時春又至，
摧殘萬般何苦哉？

悲秋

禁鼓頻敲夜色闌，
爲憐皎魄倚闌干，
闌干倚遍愁無奈，
愁無奈兮月又寒！
籬菊睡，
苔露斑，
白雲深處雁行單；
隔岸漁燈殘。
林裏啼烏悲秋老，

種二第圖頑

秋光老兮人何堪？
春去夏來秋又至，
惟有韶光去不已！
畢生只爲多情誤，
年年歲歲，對此倍愴悽！

一四，一〇，一七

46

秋怨

綠釀浮香，
無端暗把情勾引；
舊愁乍捲，
新恨還張，
往事不言堪！
年來淚珠頻灑，
多怕是，冷酒透柔腸。

餞秋

黃葉飛，
綠草萎，
無言中，
送君歸。
送君歸去頻叮嚀，
叮嚀君須記：
明年蓮荷香艷時，
君莫猖狂猶爾！

夜起

沉沉寂寂的宇宙，
祇聞得遠遠地一聲聲擊柝；
長空不見一點明星，
開門却換得一身寒冷。

頌圖第二種

冥想

一日一夜十二時，
無時不在冥想裏；
成功，失敗，
收穫，犧牲，
奮鬬，降服，
……………
輪轉兒似的
不住在冥想的波紋中鼓盪着。

石頭

昨天的晚上，
斜陽摟住石頭
　親親的在和牠接吻；
槐影扶疏，
　彷彿妬羨牠們的愉快，甜蜜。
今天一早起來，
石頭却蒙着滿臉的淚痕了！
老槐動也不動，
　一似表示牠的驕矜自得。
石頭呵！

頓圖第二種

昨夜斜陽去後，
莫不又受了風露凄涼麼？

風雨

飛廉歌着；
屏翳舞着；
黃葉紛飛，
秋又老了！
庭中的榆槐，
你們流淚做什麼？

睡醒

噪咶的鴉聲，
衝破迷離的夢境；
昏鄧鄧的魂靈兒，
乍被呼回，
總接受不到清明的輪廓；
一會子腦海波澄，
那夢中的一切；
昔又不忍回首重憶了！

看女同學打球

珥墮髻偏，
紅霞暈臉，
粉汗透朱顏，
猶自嗤柔闘健；
掠髮手纖纖，
笑道：「恁般輕狂罕曾見」。

什刹海

碧鏡波澄，
垂楊倒影；
小橋人靜，
斜陽渡來杵聲；
牽犢荷鋤，
踏歌歸去暮雲暝；
牛背笛聲清。
尋吟輿，
暢幽情，
沽美酒，

紅杏村春須奚

一四重陽前一日

羊羣

咩咩的羊羣，

——人類。

牽羊者，

——造化。

屠市，

——生命之路。

宰殺場，

——人生的歸宿呵！

一四，一〇，二八北京宣外途上

山泉

巖石畔的山泉，
　牠要辭別牠的母親
　　往人間去漂流了；
牠潺潺的哀音，
　　在詛咒造化的戕酷。
牠還沒有訴說到離別的愁苦，
牠已一翻二翻的翻到山下去了！

頌圖第二種

落葉

殘露未乾的晨早，
楓林上的紅葉，
　對着那地上的牠的同伴，
　　淒淒清清的，
　　　作那單調的無聊的安慰；
平地黃塵高捲，
這個無力的紅葉兒，
　亦顫顫抖抖的，
　　隨着牠飄零了！

60

玉簪

碧綠綠的玉簪，
可惜已經打碎了！
提起這個打碎的人兒，
可憐我的心又碎了！

贈言

臨別的贈言，
我把牠深深的藏在心宮裏；
孤燈綠火的那一夜，
牠默默的潛上心幕來！
只是撲撲簌簌的眼淚，
又把牠靜悄悄的擱回去了！

海燈

吳淞港口的海燈，
　倏明倏滅的移轉着；
叢林裏的火車，
　風馳電掣的飛駛；
夜色沉沉，
車中的人們！
　你們看清了生命之路麼？

情緒

蟲鳴花落，
造成了秋聲秋色；
雨苦風淒，
堆成了羈入情緒。
淒風中的蟲吟，
苦雨中的枯葉，
一片淒涼中，
畢究誰是殘秋，
誰是情緒？

不寐

擊柝的聲音停了，
林外的鴉聲噪了，
溟濛濛的曉色中，
不堪回首的無眠人呵！

惜別

愛人呵！
春別時，
寄恨有那落花啼鳥，
秋別時，
感懷有那衰柳丹楓；
只是今日呵：
雨雪霏霏，
我的愛人！
離恨向誰訴？

對月

去年江灣村舍的月兒，
今夜又跚跚的來了；
月兒呵：
說你無情，
不合深宵常伴我；
說你有情，
不合靜中暗把年華偸；
多情獨對
可憐見卿一回老一回了！

題圖第二種

渡江

茫茫水連天，
知家鄉何處？
望眼欲穿，
又被風帆擋住！
一回渡江一回愁，
恨悠悠，
長江滾滾流；
長江流不息，
人恨幾時休？

68

賣酒

雨雪霏霏，
爐火熊熊，
戶外賣酒聲聲頻；
自家妻兒飢且冷，
還將酒送溫飽人！

照湖鏡(註)

高峯上，
石鏡台，
晶瑩千載不點苔；
陶公扁舟去不回，
却面湖何待？
山上風高孤雁咽，
應是吳王覓影來。

註：離姑蘇城西十八里有天平山，山多奇石異峯照湖鏡卽山上面湖之圓巨石也

佛日巖(註)

佛日巖上日暮，
西施洞口雲冥，
玩花池畔紅楓冷；
琴台立老僧，
始信佛心是多情。

註佛日巖，西施洞，玩花池，琴台，均在蘇州木瀆靈巖山。

續圖第二輯

歌聲

從斜風細雨裏，

送來若斷若續的歌聲；

九轉柔腸，

又曲曲的摺成十八疊了！

「東家淚流不到西家院」，

怎的歌聲偏從鄰家來？

歸思

寂寂岑岑，
靜靜悄悄，
夜夜風風雨雨，
戶戶家家；
燈燈黯黯，
昏昏甸甸，
樹樹鴉鴉啼啼；
愴愴戚戚，
切切悲悲，
斷斷續續，

眞眞慘慘悽悽！
風飆飆兮長號，
雨瀟瀟兮不已，
枯葉紛紛滿空階，
窗櫺外猶自聲聲淅淅；
清冷冷，
悶懨懨
嘆作客年年！
雖則是，遙隔關山萬萬里，
長夜迢迢，
亦落得，脈脈暗自數歸期。

——一四殘秋迎冬之夜

數月京居，精神鬱悶，萬里家鄉，時縈夢寐，「暮靄沉沉楚天闊」，嗟嘆者固不祇柳嗜卿一人也！猶憶是篇脫稿時，適值萬象凄其之際，擲筆後熱淚沾襟，方訝其來之無自；詎意越十四日，竟獲喪父之噩耗哉！嗟嗟！否泰歡悲，識常預見於筆下，其信然耶？余又多一惑矣。

付刊時伯參附識

寄廈門愛人

昨夜睡夢裏，
靈魂兒悄悄地
逾越了萬里的關山；
迷離彷佛中，
弱小的心房，
充滿着強烈的恐怖。
愛人呵！
未知明日書來時，
能否帶得魂回麽？

苦憶

小樓人靜時，
闌干獨憑倚；
雁飛雲破月光寒，
低首苦追憶。
往年今夕風雨凄，
變雙畫堂裏，
　臉相偎，
　手相持，
曲檻空人行
小窗無人語

欄圖第二種

鴨爐獸炭稀
碧琉璃
　猶自綠醅淺醲；
含笑欲有言，
　朱唇啓乍止；
移近繡花墩，
　弄帶低頭斜倚。
問君欲何言？
襟上玉環纖手指；
嬌羞未語先顰，
低低道
「長途裏，

78

北行

雜英飛，
慣將人勾住；
先把玉環留，
莫教輕掛垂楊枝」
寶帶歌鸝日月逝，
轉眼秋風一年矣！
去年風雨今年月，
去年人笑今年悲！
回首往事倍傷心，
可憐神州戰亂頻，
江南無限長堤柳，
盡伴殘露看烽煙！

碔圖第二種

長橋斷，
曲徑長荒榛；
夜深啼猿腸應斷，
日暮孤鶴淚復噤；
廬舍爲墟何堪問，
可憐寒夜獨坐人！
燈花定卜早數盡，
獨對影兒眠不眠？
北風寒兮地凍，
雁迹杳兮魚沉！
空有萬斛話言，
這寄音書還倩誰人任？

80

除夕

徹夜靜候在時遠時近的爆竹聲中，
總不見乾坤有些甚麼；
鷄聲喔喔的唱了幾聲，
開門昔接到「賀年」的柬子了

月兒

月兒！
你雖能把那黑暗的世界照得光明，但是，那過
後的黑影，
你却不能再加回顧了。

二

在月下槐陰上閒走着，
空中飛鴻的黑影，
靜默無言中，
却把我的遊魂，
引到漠漠的白雲裏去。

三

孤鴻！
你咻咻的哀聲，
是訴寒麼？
還是找你的同伴？
相訴罷，
可惜我不能到得太空去哩！

四

球兒！
你整天地忙碌奔走，
到底爲的什麼？
可憐！

造化宰殺了你了！

五

瀰漫長空的大霧，
紅的圍牆，
黃的瓦蓋，
濃綠的垂楊，
嫩白的籬菊……
一切都隱括在你的帷幄裏
但是，我這一顆枯槁的心，
你？

六

彩霞！

你祇能把那平淡無味的長空，
點綴得光華美麗；
却不能把　已灰的心意
照耀到璀璨煥發
來反映這虛幻飄渺的人生。

七

滿想坐向燈下去寫圖畫，
但是，
自從回首看見那粉壁上的影兒後，
便再也不去寫他了。

八

昨晚斜陽西墮，

我的願望亦跟牠一齊走去；
今天在曉風颼颼中，
來的却是朝陽獨自了

九
過去的人們——
我爲他灑盡了多少眼淚，
他一樣的沉沉默默！
未來的人們——
我爲你嘔盡了多少心血，
你們將作何等的反響呢

一〇
秋冬——

牠並是春夏的殺戮者，
牠還是創造新歲的前驅者呵！

一一

錢塘江裏的波濤，
相摧相激的洶湧着；
看那一去不回的流水
心潮不覺和牠起了同樣的起伏。

一二

在長夜不寐中，
已感到十二分凄清了；
窗外復滴瀝瀝的
下了幾點疏雨來，

續圖第二種

噯，
　我的心兒碎了！

一三

望眼穿了，
夕陽下了，
往後怎麼呢？

一四

露冷風寒，
　倘自踽踽的獨步；
我總度不慣這孤燈無侶的生活呵！
雖月光掩藏在那層密的黑雲裏。

一五

秋風——
牠雖掃盡了羣芳的綠葉；
却添了詩人無限的情緒。

一六

膽瓶中的玫瑰花枯萎了。
前日安慰我的，
今日反陪牠幾點眼淚

一七

想起前日愛人安慰我的幾句話
破除了許多無聊中的岑寂；
但是，經過這一度的回憶後，
精神更深入苦惱的圍城去了。

一八
甜蜜的酣夢，
除了窗外的風雨，
更有誰來喚醒？

一九
愛河中的情網，
不鬆毫釐的密繞着，
可憐大多數裝載靈魂的小舟，
衝駛的正是這條航線。

二〇
黿頭渚畔的魚兒呵！
你們整天成羣結伴，

在那烟波萬頃的太湖裏，
　隨波逐浪的遊躍着；
難道沒有一回憶及生你的母親麼？

二一

狠想做了凜冽的秋風，
　把世界上一切的罪惡，
　　像摧枯拉朽般的掃蕩；
可是，一經想起園裏憔悴的羣芳，
　心肝兒昔軟癱了一半了。

二二

燈挑兒呵——
　騰沸的油湯煎殺了你了！

難道你眞個爲了光明
　來犧牲了自己的一切麼？

二三

去年花開時，
蝴蝶翩翩的飛來；
去年花落時，
蝴蝶翩翩的飛去；
今年的花又開了，
　未知那來的可是去年的蝴蝶？

二四

小孩子：
　你在未睡之前，

不是號啕的啼哭麼？
現在睡眼上的淚痕還沒有乾咧，
爲甚作了這般甜蜜的微笑？
「醒時怎似夢時好」？
　可惜你不肯盡量的解答罷！

二五

成功的樓臺，
已建築在前面了；
成功人：
循着這奮鬥之路再進罷！
雖橫阻着了滾滾的破壞河，
還有一切的毅力，

來創造那猛進的船兒哩。

二六

大樹層層密密的遮住太陽，
但太陽却從牠的疏隙處，
放射出牠原有的光明來。

二七

美滿的花纔在萌芽，
狂風又起來了！
一切的人們呀——
迴護固是用着你們的心幕，
可是，後此的灌溉，
還要仗着你們的腦汁和心血呵。

二八

一夜北風，
早起已認不清庭前的槐樹了！
——即籬下傲霜的黃菊，
亦在所不免！
這雖是自然的定律，
然而那無力的心兒，
早爲牠怦怦而顫動了。

二九

神廟裏撲撲的籤聲，
求神者的幸福，
正同牠一樣的搖盪着；

撲撲的籤聲停了，
　求神者一切的幸福，
　　亦和牠一樣的完了。

三〇

本想不做詩，
又怕沒有銷愁的法子；
一經持起筆兒來，
　那情緒又千絲萬縷的
跟着毫尖兒來了。

三一

出門時：
庭除中尙滿印着花影：

回來時：
已剩得屋角上的一點夕照了！
暮色冥冥，
心幕上隨牠起了一片的灰色。

三二

輕烟般的生命，
泰山般的負擔，
流水般的歲月
青年人
揩乾眼角上的熱淚罷，
「努力」在旁邊冷笑哩！

三三

海燈倏明倏暗，
舟兒都走向安全的地方去；
宇宙一晝一夜，
一切衆生，
爲甚都向死裏跑呢？

三四

來舟：
請署鬆一鬆你的風帆罷！
狂瀾中的暗礁，
滿佈着輕進的帆影裏哩。

三五

門外鼕鼕的鼓聲，

送親者的儀仗來了；
門外別別的足音，
送嫁者的人們回來了；
來時轟轟，
去時默默
人生何嘗不是這樣？

三六

死是死的生，
生是死的死，
只要精神不死，
便雖死猶生了。

三七

親愛的：
你再不要哭泣罷，
我的心已被你的眼淚滴碎了！
往下的眼淚，
再有誰能承受呢？

三八

我要問一問「造化」：
我是不是用水做的？
爲甚自從得到了生命，
眼淚便潸潸的流個不住呢？

三九

除了鏡裏的影，

我想天地間
　再沒有像我這般可憐的人兒呵！

四〇

紙窗淅淅的風聲，
「自然」在默默中告訴我們什麼？
　好難猜透的神秘問題呵！

四一

鐘表兒；
　你們痴了；
　你們縱暫停了這一時半刻，
　可是，那無情的斜陽，
　却沒有這般留戀的柔腸咧！

四二

疾雷般的吶喊，
到了甘霖般的
　滿足了需求的慾望，
那彩虹般的驕傲，
　便不期然而然的
　　緩緩流露出來了。

四三

傷心的書札，
　焚了罷？
　　可惜愛人的眼淚；
擱了罷？

可憐我已碎的心兒呵！

四四

皎月伴羈人，
冷風給他吹散了，
燈下吟喁的青年，
亦嘗憶及風露中的舊侶麼？

四五

鷄聲啼，
鴉聲噪，
睡眼惺忪中，
顯出了人生的眞相。

四六

昨晚臨睡的時候，
　還在思考人生一個絕大的問題；
今天一早起來，
　腦海中已沒有這一回事了；
原來夜夢濛瀧之間，
已把牠解答得清清楚楚了。

　　四七

呀呼的疾風，
接着便是凄凄的疏雨；
造化的小兒呵
　既是『常以肅殺而爲心』，
何必又流出這悲哀的眼淚？

四八

情緒——
月兒給牠勾引來；
黑雲把牠密密的籠住；
輕風又把牠緩緩的送回了。

四九

水裏的月兒，
人家都說牠是個影；
昨夜雲裏的月兒，
今天想來又是什麼呢

五〇

彩霞裏的塔影，

頑圖第二種

醮着綠陰深處的炊烟，
寫出羈人思歸的情緒。

五一

白紙上的墨痕，
心頭上的恨事，
一般的顯晰，
一般的牢鏤，
除非是一切都灰罷！
雖經萬般的變幻磨折着。

五二

百級階梯，
方纔走得三五步；

青年人：
努力罷！
前面還多着哩，
太陽正在東山搖曳着。

五三

平湖春社的鶯鶯燕燕，
可憐她日夕浴影的清波，
總離不開西冷的眼淚。

五四

沒有走過叢崖峭壁，
不能知到世路的艱辛；
洋海飄泊中的人兒：

難道還窺不透造化鎔爐中的乾坤麼？

五五

風雨飄零中的飛鴉——

夜幕張了，

何處是你的歸宿？

五六

西風後的雁羣，

慢慢的重整牠們的行列；

海天漂泊裏的餘生，

何日纔上光明之路呢？

五七

濃霧裏的賣花聲，

芬香呵？
豔色呵？
祇得到一些刺耳的美名兒罷了！

五八

『怎麼樣的解決呢？』
像這般躊躇，
怕沒有解決的日子罷！

五九

『怎麼樣的解決呢』
青年人：
回顧腰間的長劍罷！
不是無上的一個答案麼？

六〇
虎邱山下的枕石上，
　昔日唐解元三笑詩的墨痕，
今日却蒙上憑弔者的眼淚了！

六一
西山上的黑雲，
　墨般的圍起接天的屏幛來；
極樂界上的慈悲者呵！
　你們眞個謝絕了塵世的一切麼？

六二
垂楊枯了，
潭水涸了，

斜陽裏點點的歸鴉，
尚憶牠們青春之影麽？

六三

愛情——
是琉璃瓶裏的砒礵，
——看來瑩潔而冷靜；
牠瞞盡了局外的觀看者，
殺盡了旁邊的嘗試者。

六四

眞理——
是半天的白雲，
飄飄渺渺的

可望而不可接

六五

狂風下的小草，
牠雖搖搖的低拂；
但是，牠泥裏的根兒動麼？

六六

愛之波，
在苦海的中流盪漾着；
涉足的人們呵，
留心點吧！

六七

盼不得月兒上來，

又巴不得牠下去；
愁恨中的情緒，
眞難爲了這個月兒啦！

六八

涉水者，
低着頭，一步步的前進，
到了對岸回首時，
早已失了來時的踪跡了。

六九

火盆裏的殘書，
一片片的翻騰着，
傷心人的眼淚，

無情火中的灰燼呵！

七〇

一夜北風，
　雪花裝成銀世界；
一夜東風，
　雪淚枝頭紅日高；
好機變的風姨呵：
『成也是你母親，
敗也是你蕭何！』

七一

過去——不住的繫念着，
將來——千方的希望着，

如醉似痴的生活中，
竟瞢瞢的度了這個『現在』麽？

七二

失敗者的悲哀，詛咒，
『努力』何曾沒有不遇之歎呢？

七三

春日偏愛眠，
秋夜苦不寐，
——錯過了光景，
多受些折磨，
不是造化偏與人爲難麽？

七四

處世接物，
是空谷的回聲；
你向牠問訊，
牠向你請安；
你向牠謾罵，
牠便報你以惡聲了。

七五

月兒，
謝謝你！
謝你的温柔，
常伴寂寥的旅客；
謝你的光明，

照徧黑暗的世界。
月兒，
我又希望你
望你把你的團圞，
常贈宇宙的一切。

——一四，一一，二五北京南方大學

北行 全一冊

實價大洋三角

著作者 陳贊

發行者 蓓蕾學社

印刷者 上海商務印書館

寄售者 各埠新書坊

花木蘭文化出版社聲明啓事

此次《民國文學珍稀文獻集成》出版，有賴各位作者家屬大力支持，慨然允贈版權，遂使這巨大的文化工程得以開展。我社全體同仁在此向各位致以誠摯的謝意！

由於民國作者人數眾多，年代久遠且戰火頻繁，我社傾全力尋找，遍訪各地，能夠找到的後人，得其親筆授權者，爲數甚寡。更多的情況是，因作者本人下落不明，連版權情況都無從知曉。

因此，我社鄭重聲明：

此叢書所錄專著，凡有在版權期內而未授權者，作者家屬可與我社聯繫，我社願奉送相關贈書50冊爲報酬，補簽授權協議。

望家屬看到此通知後與我社聯繫。聯繫信箱：hml@vip.163.com

花木蘭文化出版社

2017年秋